KB171981

세상앎이 그리고 인생론

인생의 본질을 꿰뚫는 인문 에세이

송희준

평소 인문사상에 관심이 많은 저자는 자유로운 출판에 호기심을 갖고 다양한 분야로 도전을 하는 중이다. 개인적으로 에세이 분야는 잘 알지 못하지만, 단문 형식의 출판도 해보고 싶어 이 또한 새로운 길이라 생각하고 나아가는 중에 있다.

세상읽이 그리고 인생론

독특한 시선으로 삶을 탐험하는 여행자를 위한 가이드북

송희준 지음

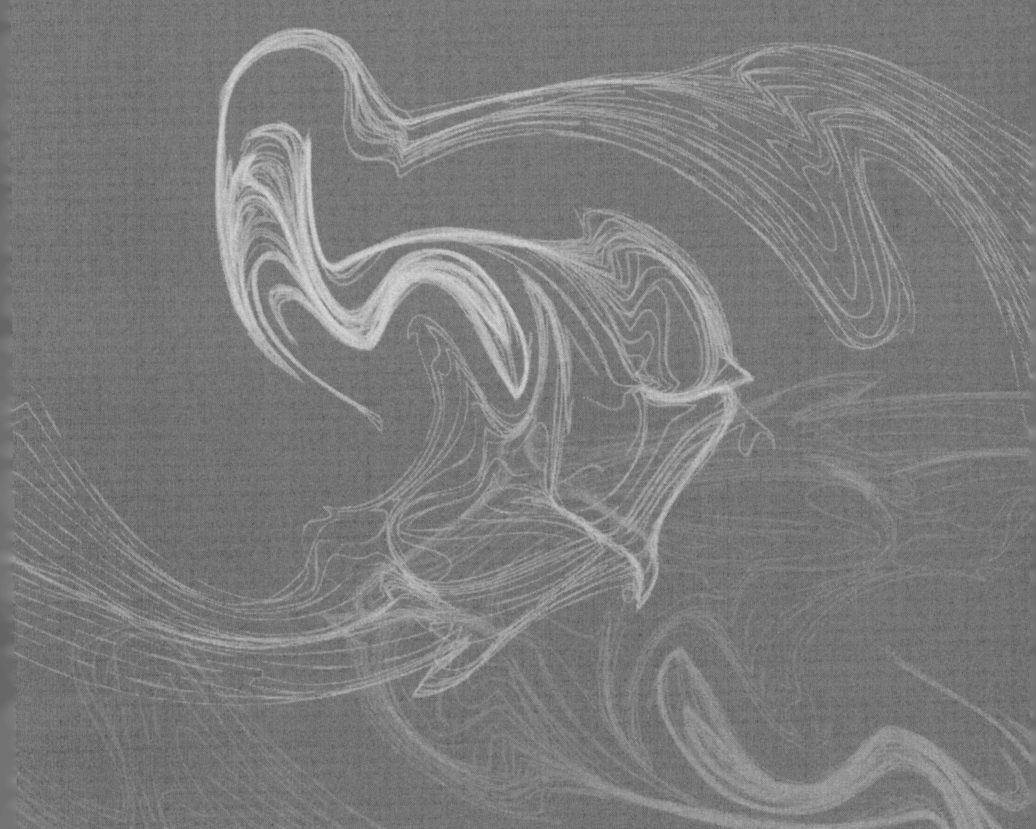

목차

사회

직장생활

사색록

경험담

인터넷

인생론

같잖은 소리들

사회

001

20대

20대는 당장 증명할 수 있는 것이 없기 때문에, 스스로를 속이고 포장하는 것에 능숙하다. 또한 무한한 기회에 심취하기 쉬워서 자의식 과잉에 금방 빠진다. 그들은 스마트폰으로 주어들은 것이 많아 무분별한 확신만 가득 차 있고 들소처럼 앞만 보고 달리다 되돌릴 수 없는 사고를 내고 만다. 본인들이 지금 믿고 있는 것에서 무엇이 잘못된 생각인지 알아야 하는데 알려줄 사람도 주변에 전무할 뿐더러 있어도 이들의 말을 들으려 하지도 않는 게 안타까울 뿐이다.

002

망한 인생

본인을 '인생 망한' 무엇이라 부르거나 '망해가는 20대 특징' 같은 글이 보일 때가 있다. 한탄이야 누구나 할 수 있지만 이들을 계속 보고 있으면 설레발에 진심으로 끝장났다 생각하고 있다. 사람마다 상황과 사정이 다른 것은 알지만, 누가 봐도 뭣도 아닌 상황인데 인생이 망했다고 징징거리는 것을 보면 오히려 얼마나 인생을 개똥으로 만만하게 봤기에 저러는지 싶다. 그런가 하면 '인생이 꼬이는 과정' 같은 글도 보이는데 이들은 착각하고 있다. 인생은 성장 같은 레벨 업이 아니다. 최선의 선택을 해왔지만 그 길이 자신의 길이 아닐 경우 다시 처음부터 시작해야 하며, 생각 없이 해본 것이 인생을 송두리째 바꾸는 경우도 있다. 헌데 시작도 안 한 사람이 저런 말을 하는 것은 관심 받고 싶어서인가, 아니면 불확실성에 대한 내성이 없어 산들바람에도 갈팡질팡 하는 것인가.

003

젊은 현실도피자들

나이를 불문하고 현실도피자들은 하나같이 미래를 살고 있다. 긍정적이고 활동적인 척 하며 살아가지만 그것은 구체적인 가능성 제시에 대한 회피수단이다. 막상 본인이 떠들은 미래에 현실이 가까워지기 시작하면 말 같지도 않은 변명을 쏟아내기 바쁘다. 한 지인은 부자 팔이 콘텐츠에 빠져서 '돈이 나를 위해 일하게 하라.'며 줄기차게 외치며 살았지만, 어째선지 25살부터 들어간 회사에서 나올 생각을 안 하며 살다 잠적 해 버렸다. 누구는 이민을 외치면서 영어는 개판이고 해외를 돌아다니다가 15년째 한국에 있다. 그런가 하면 남의 아이디어를 베껴 가게를 차린 주제 전국 프랜차이즈가 가능하다고 으름장을 내더니 구인조차 제대로 못한 젊은 사장까지 참 다양하게 본거 같다.

몇 년이 지나면 이들은 뇌 내 망상을 인정하기보다 원래 포부는 커야 한다며 자기기만을 하곤 한다. 이상을 현실화 하려면 세상과의 관계 속에서 세계관을 형성해야 하는데 그러지 않은 결과다. 이들은 세계관이 형성될 가능성을 차단하고 자기가 만든 세계에 스스로 갇힌다. 아쉽게도 돌아올 방법은 오랜 시간이 흐르고 허무한 현실에 마주 했을 때 깨어나곤 한다.
젊을 때 '나는 안 그럴 거야.' '현실에 수긍하지 않을 거야.' 라는 말 따윈 솔직히 필요 없다. 훌쩍 나이를 먹고도 진정 떠들 수 있는 각오가 있냐가 중요하다. 모두가 번지점프대를 처음 봤을 때는 뛸 수 있을 것 같다고 말하지만 막상 위에 올라가면 망설이거나 헛소리를 하며 우왕좌왕 한다. 그만큼 현실은 압도적이다 못해 무기력 하단 것을 명심해야한다.

004

세상물정

어려서부터 줄곧 나무를 보지 말고 숲을 보라는 말을 어른들에게 많이도 들었지만 막상 어른이 되고 보니 웃기기 그지없었다. 실상은 다들 말만 진취적이고 눈앞의 틀에만 집중 하고 살아간다. 특히 진지하게 자신의 삶, 진로를 마주하려 하는 자는 단 한 명도 없었다. 시시콜콜한 관심사만 좇다가 좀 없어 보인다 싶으면 죄다 어디서 주어들은 걸로 자신을 무장하고만 있었다. 그걸로 뭣도 모르는 애들 앞에서 으스대고 있는걸 보면 정말이지 피가 거꾸로 솟는다.

왜 마주하려고 하지 않을까? 이는 스스로 자신을 믿음 안에 가뒀기 때문이다. 불신이나 의심 점검을 하는 대신, 근거 없는 긍정을 추구하거나, 불안을 받아들이기 싫어서 자신의 믿음에 자아를 의탁해버렸기 때문이다. 그렇게 시간이 흘러 현실에 두들겨 맞으면 정신이 들지만 또다시 다른 분야에서 같은 행동을 반복한다. 진실과 무관한 자기중심적 사고로 '해외는 이럴 것이다.' '부자들은 이럴 것이다.' 같은 소릴 하며 자신이 만든 환상 속에서 살며 여전히 달라진 것 없이 살아간다. 대부분의 어른이 이렇다.

005

지천에 사기꾼 천지다

조심해야할 사기꾼은 언론에 나올 법한 거액의 사기꾼이 아니다. 청년들이 일류 직장에 취업 하는 것이 아닌 이상 만나게 될 '나 믿고 따라오면 잘되게 해줄게 또는 키워줄게' 라고 말하는 사람들이다. 이들은 지천에 널렸으며 막 쓰고 버릴 목적이 뻔히 보임에도 불구하고, 사회 초년생들을 속여 시간과 노력, 기회비용을 조용히 강탈해 간다.

'사람의 말을 믿지 말고 행동과 표정 그리고 몸짓을 파악해라.' 같은 말은 이런 사람들 때문에 생겼으리라 본다. 그래서 이들의 가스라이팅을 흘러듣고 계속 관찰해야 한다. 그러다 보면 알 수 있기 때문에 이용당하지 않고 내 밥그릇은 지켜낼 수 있다. 이런 하찮은 수준의 교훈은 어디 가서 말하지도 못하는데, 지인 중 한명은 이런 구분조차 못해서 인생 5년을 이용당하고 휘둘리다 버려졌다. 그런가 하면 다른 지인은 노예처럼 일하며 사장과 회식도 자주했지만 어느 날 갑자기 사장이 사업체를 처분하고 다른 곳으로 떠나버려 혼자 붕 떠버리는 상황이 되었다. 나는 저런 상황이 발생하기 전에 저 둘에게 "저사람 너 안 챙겨줄 사람이니 버리고 딴 데 알아봐야 한다."고 말했으나 그들은 자신만의 계획이나 전략이 있기 때문에 걱정하지 않아도 된다 하였다. 이후 뻔한 결말을 들었을 때는 그저 어처구니없었을 뿐이었다.

006

돈되는 시장 1

어쩌다 황금알을 낳는 거위를 얻게 됐다. 대부분의 사람들은 이제 바보가 아니라서 단순한 욕심에 배를 갈라 죽이진 않는다. 오히려 문제는 거위의 수명과 황금알의 시세가 계속 유지 될 것이라는 착각이다. 그 이유는 무엇을 모르는지 조차 몰라서 문제없는 상황이라고 인식하기 때문이다. 예를 들면 황금알을 낳는 거위가 무엇을 먹는지 어떤 똥을 싸면 문제가 무엇인지 전혀 모르거나, 경쟁자가 많아 과열되어 순식간에 금값이 폭락하는 경우에 대한 것은 전혀 생각하지 않는다. 더 큰 변수는 거위 관련 보호법 규정이 바뀌어 업종 자체가 박살이 나는 경우다. 만약 업종이 이미 박살 확정인 상황인 것도 모르고 좋다고 거위를 누군가에게 받았다면 애초에 그 사람은 떠나기 위해 '이 거위는 돈이 됩니다.' 라고 알리고 다녔을 가능성이 높다. 그렇다 이들이 바로 당신을 부자로 만들어 주고 싶은 사람들이다.

007

돈되는 시장2

만약 친한 관계의 지인이 악의 없이 잘 되자는 의미로 무지한 상태에서 어떤 아이탬을 추천해준다면 어떨까. 나 역시 이런 상황을 많이 접했다. 같이 공동투자를 하자고 하거나, 늦기 전에 너도 뛰어들라고 재촉 받은 적이 있다는. 여기서 가장 중요한 점은 그들은 일이 안 풀렸을 때 책임을 져줄 수 없다. 선동하듯이 유혹했지만 결과에 대해선 항상 방관자며 무책임자다. “누가 칼들고 투자하라고 협박했냐?” 라고 쉽게 말할 수 있다. 그렇기에 곰곰이 따져보고 틈틈이 분석해서 거절하면 사이가 멀어졌지만, 믿고 따라가다 인생까지 꼬인 친구들을 보면 싸게 먹힌 것 아닌가 싶다.

008

3루타

흔히 3루타에서 태어난 사람들은 본인이 잘해서 올라간 줄 안다는 말이 있다. 본인이 받은 혜택들은 모르고, 스스로의 힘으로 살아왔다고 착각하는 부류들을 뜻한다. 예를 들면 대학생들에게 현재의 가치를 높여야지 왜 아르바이트를 하냐고 말하는 교수나, 가게 차릴 돈을 부모에게 빌려서 잘 된 뒤 나중에 갚으면 그것이 오로지 본인 실력이라고 생각하는 사람, 또는 취업전쟁 없이 적당히 살다 기업을 물려받은 주제 돈보고 일하러 오지 말라는 사람들이 그 대상이다. 물론 이들이 굳이 타인의 사정을 알아야 할 의무는 없다. 다만 본인의 잣대를 기준으로 사회문제를 논한다면, 폭언을 들을 각오정도는 해야 마땅하다.

직장생활

009

처세의 기초

혼날 일이 생겼을 때는 까먹은 것 보다 잘못이해 한 게 더 싸게 먹힌다. 후자는 최소한 항상 경청하고 있는 자세는 보여주기 때문이다.

010

곰처럼 일하지 말고 여우처럼 일해라

흔히 직장생활을 하다보면 듣는 소리가 곰보다 여우가 되라는 말이다. 보통 열심히 일하는 것 보다 효율적인 일을 우선으로 하거나 정치 질을 잘해야 한다는 격언으로 사용된다. 헌데 글쎄다. 어쩌다보니 여우와 곰 둘 다 해본 바로는 포지션은 내가 잡는 것이 아니라 환경 즉 직장과 업무에 따라 결정되었다. 열정페이와 착취가 관습인 곳에선 여우 짓이 배척당한다. 나사 빠진 곰이 될 때까지 정신교육을 받을 것이다. 업무 난이도가 쉬운 곳에선 비교적 쉽게 여우처럼 살아왔다. 헌데 복잡하고 한없이 변수가 많은 곳에서는 빠른 이해와 눈치가 안 따라 줘서 자연스럽게 곰의 포지션이 되었다. 그런데 가끔씩 효율적으로 하느라 몇 가지 일을 건너뛰다 혼나는 여우직원을 보면, 불안해서 이곳에서 여우를 할 수나 있나 싶다. 이렇게 놓고 보면 결국 포지션 선택은 나의 의지와 무관한 것 아닌가 싶다.

011

업무 사각지대

일을 빨리 시작해서 월급 80만원 주는 회사부터(아르바이트 아님) 300만원 이상 주는 회사까지 다양하게 경험해봤지만 적은 보수만큼 일을 한다고 해서 그만큼 쉽거나 스트레스를 덜 받는 게 체감되진 않았다. 나중에 알게 된 것은 계약서나 재무제표 또는 기업 정보공개서 어디에도 없는 업무 사각지대의 존재였다. 사각지대엔 분담할 업무량과 업무강도가 확실히 정해져 있지 않다. 그렇기 때문에 통상적인 상황을 생각하고 임해도 불합리 부조리한 경우가 허다하게 발생한다. 이러니 중소기업 기피현상이 심한가 싶다,

012

무사안일주의

회사가 정상적인 방법으로 절대 하루 안에 끝낼 수 없는 일을 요구한다. 허나 못한다고 말하면 나만 무능력자가 되거나 폭언만 듣고 눈엣가시가 된다. 왜냐하면 다른 이들은 대충 할지언정 가능하다고 말하기 때문이다. 그래서 적당히 하고 문제없는 척을 해야 하며, 사고가 터져도 똥 밟았다 생각하며 같은 행동을 반복해야만 한다. 이렇게 되면 갈수록 모든 업무 처리에 소극적이고 부정적이며 보수적일 수밖에 없다. 그렇게 성격까지 변해간다.

013

여기서 잘하면 다른 곳가서도 잘한다는 사탕발림

'여기서 잘하면 다른 곳 가서도 잘한다.'라는 말은 아무 관계없는 헛소리인데 당연한 듯이 다들 말하고 있다. 업종이나 환경 또는 대표가 바뀌면 본인은 가만히 있음에도 불구하고 잘 한다 못한다가 순식간에 뒤바뀔 수 있다. 군 생활 시절 한 소령과 대위가 있었는데 이들은 거의 적토마를 타는 관우처럼 죽이 잘 맞고 일에 빈틈이 없었다. 그러다 인사이동으로 새로운 소령이 왔는데 그 날부터 대위는 최악의 무능한 쓰레기로 취급받았다. 그 대위는 피눈물 나게 야근을 하며 노력했지만 결국 쓰러지고 타 부대로 발령가게 되었다.

나 역시, 다양한 일을 했지만, 전역 후부터 일을 대하는 태도는 전부 비슷했다. 그도 그럴 것이 업종간의 차이는 있을지언정 사회가 요구하는 신입의 자세는 다 같기 때문이다. 재미있는 점은 어느 직장에서는 희대의 폐급으로 불리는가 하면, 다른 곳에서는 대기업 부장님이 직접 특별 공로로 표창장을 수여하기도 했다. 또 어디서는 직장 내 팀 에이스가 되기도 했다. 이처럼 개인의 역량으로 상황이나 환경을 제어 하는 건 터무니없는 망상에 가깝다. 그것이 가능했으면 농구 황제가 된 마이클조던은 어째서 야구 판으로 간 뒤 중간도 못하고 나갔을까? 동기부여나 간절함이 부족해서 그런가? 반대로 업무시간에 딴생각을 하거나 회의시간에 소설을 쓰는 이는 다른 곳을 가도 답이 없다고 볼까? 이 사람은 나중에 '해리포터'를 출판한 작가 죠앤롤링이다. 그 누가 예상을 한단 말인가. 성공한 사업가나 유튜버 중에서도 과거 일터에서 무책임하게 도망간 경우도 많아서 놀랐다. 물론 책임감 결여와 업장 피해를 준 점은 사실이기에 저런 행동을 찬양하지는 않는다. 확실한 것은 '여기서 잘하면 다른 곳 가서도 잘한다.' 라는 말에 신빙성 따윈 없다. 헛소리에 불과하다.

014

책임과 권한

상급자일수록 책임과 권한이 커진다고 보통 말한다. 허나 막상 문제가 들이닥치면 아무도 책임을 안지고 미루거나 인정을 안 하곤 한다. 만약 책임을 지려고 할 경우 높은 확률로 좌천당하거나 옷을 벗어야 하기 때문이다. 그렇다면 양심상 권한을 축소 시켜야 이치가 맞건만 권한의 크기는 끝끝내 유지한다. 아이러니하고 기괴한 갑을놀이의 병패중 하나다.

015

인성이냐 실력이냐

사장들 논쟁의 단골 주제 중 하나가 '인성과 실력 중 무엇이 더 중요하냐.' 이다. 이게 면접 때만 보고 말하는 것인지 아니면 함께 일하면서 어떤 직원을 곁에 두고 싶은 건지 정확히는 알 수 없다. 우선 개인적으로는 의미가 없어 보인다. 일류기업이라면 시간과 돈을 써서라도 느긋하게 두 가지 모두 갖춘 사람을 채용할 것이고, 중소기업이나 자영업자라면 찬밥 더운밥 가릴 처지가 별로 안 되기 때문에 어중간하거나 극단으로 치우칠 수밖에 없다.

과거 둘 다 경험해본 바로는 대체 가능성을 중심으로 갈렸다. 장비나 기술팀의 경우 인성이 박살나서 옆에 있기 조차 싫은 사람이라도 '척하면 척' 에 섬세함까지 따라와 준다면 붙잡기 마련이고, 식당 도소매업의 경우 웬만해선 누구나 할 수 있기 때문에, 대게 못해도 괜찮으니 착하고 성실하기를 바라곤 한다. 물론 모든 곳이 저러진 않는다. 요컨대 중요한 것은 인성이나 실력이 아니라 회사가 무엇을 더 필요로 하는 곳이냐 인데 본인들한테 물어봐야 할 질문을 왜 남 얘기인 듯 토론하는 것이 아이러니하다.

016

퇴근 후 자기계발

사람마다 다르니 일반화는 못하겠지만 보통 운 좋게 들어간 꿀보직이 아니고서야 회사는 퇴근 후 체력을 많이 남겨줄 정도로 만만하지 않다. 몸 쓰는 일을 하게 되면 퇴근 후 녹초가 돼서 무기력 할 것이다. 활력을 다시 찾고 싶어서 에너지 드링크와 친해질 것이다. 반대로 머리를 쓰는 일을 하면 컴퓨터안의 그래픽 카드처럼 머리가 뜨겁게 과부화 되어 퇴근 후 과열증상이 온다. 진정을 다시 찾고 싶어서 이번엔 술을 찾게 된다. 이런 환장할 상황에서 우리는 열심히 성과를 내야만 한다.

017

업계 소득기준

똑같은 회사에서 똑같은 일을 역세권별로 나눠 구인을 하는데 어디는 급여가 170만원이고, 어디는 350만원이다. 기준이 궁금했다. 대기업임에도 적게 주는 경우도 있고 업무 날이 더 많은데도 훨씬 적게 주는 경우도 있었다. 대체 이 일관성 없는 측정방식의 기준이 뭔고 하니, 쩐(돈)주의 지불의향에 맞춰 급여가 산정되는 것이었다. 단순히 대기업 가라는 뜻이 아니다. 내 능력과 가치에 따라 빵이 커지는 것이 아니라 주인이 뜯어 주고 싶은 기준에서 이미 결정 난다는 것이 조금 허탈했을 뿐이다.

018

노비, 가축, 도구

자신이 회사의 부품이라고 말할 때 저 세 가지 단어중 하나를 사용한다. 무언가를 구성하는 요소로서 셋 다 같지만 은연중에 어감 차가 존재한다. 개차반 취급은 동일하나 진지하게 나누면 어떤 상황에 써야 더 알맞을까? 옛날엔 동서양 통틀어 지주, 마름, 소작농이 존재했다. 이를 기준으로 보면 노비는 마름으로 임원이나 부장에 걸맞다. 가축은 그 이하 사원 즉 임원을 만들기 위한 용도로 기른다 하면 알맞은 표현 같다. 그럼 도구는 무엇일까? 계약직과 일용직 또는 아르바이트를 칭한다고 보면 된다. 하나 확실한건 정사원으로 들어가 임원이 된 후 임금피크제를 당하면 셋 다 경험해볼 수 있다는 것이다.

019

무실수란 없다

사람의 본질 자체가 그럴 수 없어서 꼭 실수를 하곤 한다. 헌데 완벽이나 무실수를 추구하는 조직 및 구성원이 있으면 항상 결말은 전대미문의 대형 사고를 일으키는 것으로 마무리 된다. 구성원은 실수가 발생해 이를 인정하는 순간 무시와 동네북 취급을 당하기 때문이다. 그래서 보통 우기기나 모함 또는 일명 '짬때리기'를 통해 품위를 유지한다. 그렇게 대형 사고의 기틀을 다진다. 참 많이도 봐왔다. 완벽놀이를 추구하는 이들이 어느 날 대규모 횡령, 음주운전 및 대형사고, 미성년자 성추행등의 말도 안 되는 범죄를 저질러 사라지는 모습을 말이다.

020

실제로 회사를 움직이는 이들은 견장 뽕 쟁이 들이다

이들은 공통적으로 착취당하는 쪽에서 최전방에 놓아져 있지만 견장 뽕에 취해 휘어잡는 맛에 중독되어 살아간다. 본인의 처우를 곰곰이 파악하여 항의나 이직을 하기 보다는 눈앞에 모두가 조아리는 모습에 엉뚱한 자존감이 뿜어져 올라와 정신을 못 차리게 된다. 대표 입장에선 어깨 좀 주물러주면 많은 비용과 문제가 해결되니 좋아할 수밖에 없다. 또한 본인의 족쇄에 대한 프라이드가 엄청나다. 본질적으로 놓고 보면 아무것도 아닌데 뭐라도 되는 줄 알고 꺼드럭거리곤 한다. 그렇게 우물 안의 개구리가 되어가고 있지만 그 바닥에서는 이를 부정해 줄 사람도 없고, 치켜세워 주는 사람들로만 주변이 가득 찼기 때문이다. 간혹 그 일이 자신의 의미까지 되 주는 경우 이들은 일시적으로 자아실현 까지 할 수는 있지만, 다시 썩은 동태눈알이 되는데 그저 오래 걸릴 뿐 결과는 변하지 않는다.

021

기가 쌔거나 성질이 더러운 이들과 일 해본 바로는

싸움쟁이들은 뭐라 한소리 듣는 것을 죽기보다 싫어하는 듯하다. 그래서인지 절대 빈틈을 내주지 않으려 칼같이 일한다. 삐딱하고 건방진 태도로 누구보다 진지하고 꼼꼼하게 임한다. 또한 이런 성격으로 인해 이직이나 진로변경을 거의 안 한다. 아무리 그래도 막내의 입장에선 불가능한 태도이니 말이다. 아쉬운 점은 자존심 때문에 기회를 너무 놓치고 있다는 것에 있다.

022

서로간의 이끌림

본인의 노력과 무관하게 타인의 설명할 수 없는 마음에 안 들면 뭘 해도 눈 밖에 난다. 이끌림은 스펙과 무관하게 순간적인 직감으로 판단되는 주제에, 평가요소에 가장 강력한 영향을 준다. 면접이나 소개팅도 마찬가지다. 커피숍에 앉아서 핸드폰을 하고 있는데 앞에서 면접이 진행 중이었다. A는 뭐든지 가능하고 다양한 경력이 있고, 잘 할 수 있다면서 웃으며 어필 했지만 점장은 시큰둥한 자세로 있다 끝냈다. 반면 B는 무 경력 신입이고, 이 시간 때만 할 수 있다 하며 태도도 불량해 보였지만 점장은 언제부터 할 수 있는지 적극적인 자세로 맞춰나가려고 했다.(진심으로 얼굴은 둘 다 비슷했다) 이렇게 천부적인 상황도 있으니 안 맞는 관계는 집착하지 않고 어느 정도는 될 대로 되라 식으로 살아가는 것이 현명하다고 본다.

023

시간만 되돌릴 수 있다면

첫 회사를 그만둘 때 30살쯤의 팀장이 넌지시 말했다. "만약 옛날로 돌아갈 수 있다면 이런 일 하지 않을 거다. 내가 너의 나이면 죽이 되 든 밥이 되 든 사법고시에 매진하고 싶다." 라고 말했다. 그다지 와 닿지 않아서 대수롭게 넘겼는데 서른 넘은 나이에 퇴사할 때도 나보다 어린 상사가 똑같은 말을 했다. 되돌아가면 이일 말고 딴 것을 했을 거라고... 과거와 달리 여러 사람들을 봐온 나로서는 미혼에 아이도 없고, 가정이 힘든 경우도 아닌 이 두 명의 말에서 공통점을 느꼈다. 도전이라 말하기도 부끄러운 그저 변화를 거부 하는 것에 대한 핑계였다. 그걸 죽어도 말하진 못하겠고 현재를 선택하지 않으며 과거의 자신에게 책임을 전가한다. 참으로 자신에게 비겁한 인생이다.

024

일은 테크닉 보다 스타일을 더 중요시 여긴다

과거 훈련병 시절 굽신 거리면서 조교에게 화장실가도 되냐고 묻자, '어차피 갈 거면서 뭘 그리 군인답지 않게 굽신 거리냐'며 화를 냈다. 그 뒤 '당당하게 말하고 갔다 오라' 말했다. 그 이후 자대를 가서 그대로 했더니 '죽으려고 건방지게 말하는 거냐. 공손히 말해라' 들었다. 시간이 흘러 취업한 회사에서는 팀장이 현장에서 퇴근하겠다고 말하니 전무 입장에서는 통보하는 방식이 건방지다 여겨 우리 팀만 일요일에 일부로 불렀다가 다시 집에 보내곤 했다. 이런 내막도 퇴사 직전까지 몰라서 팀 전체가 정신병이 올 뻔 했다. 호주에 있었을 때는 청소업체에 들어가게 되었는데 내 청소하는 꼴을 보더니 소장이 화내듯이 무식하게 힘쓰지 말고 세제를 많이 바르고 문지르듯이 닦아야 편하고 효과가 좋다고 했다. 그래서 귀국 후 식당에서도 똑같이 했더니 사장이 '가게 놀러왔냐' '이렇게 빡빡 닦아야 되지 그렇게 하면 되겠느냐' 등의 핀잔을 주며 직원들 앞에서 공개망신을 줬다.

처음 모순을 겪었을 때는 짜증과 의구심만 쌓여갔지만 도저히 해답을 찾지 못하고 포기했으나, 점점 다양한 분야에서 비슷한 상황을 겪어보니 나중에 가서야 깨달은 것은 '문제 해결보다는 기분을 맞추는 것을 더 중요시 여긴다.'는 점이다. 비슷한 예시로 매장에 손님이 와서 품절 상품을 달라고 하면, 이미 해당 상품이 품절인 것을 알더라도 창고에 간다 말한 뒤 창고에서 의미없는 2~3분을 보낸 다음 없다고 말해야 컴플레인이 안 생긴다. AS센터 직원이라면 내방한 고객의 하소연을 절대 듣다 끊어서는 안 된다. 말도 안 되는 헛소리나 요구를 하더라도 우선 다 들어줘야 사고가 안 난다. 카센터를 운영한다면 설령 지역 최고의 기술자여도 손님은 말없이 무뚝뚝하게 고치고 청구서를 요구하는 곳보다 실력이 떨어져도 문제나 상황을 웃으며 얘기하는 곳에 재방문을 한다. 이렇게 되다보니 직장에서도 중요한 것은 일처리가 아니라 직장놀이일 수밖에 없는 노릇이다. 문제 해결을 위한 일을 하려는 것이 아니라 잘 되가는 척 놀이, 입맛만 맞춰주기 놀이를 하는 것이다. 전혀 해결은 안 되고 열심히 헛고생만 할 뿐이다. 회사는 절차와 방식을 중요시 하는 듯싶지만 내막의 본질엔 땡깡과 갑질이라는 사심이 먼저 들어가고 그 뒤에 갖다 붙이기 형식의 절차가 들어가기 때문에 갈피를 못 잡고 휘청거린다. 보고있으면 마치 눈앞에 '페널티 킥'과 다름없는 기회를 얻은 스트라이커가 슛을 안 쏘고 패스를 하려고 두리번 거리는 상황과 같다.

사색록

025

생각

어느 시대, 어느 공동체에 있든 간에 열에 일곱은 아무생각이 없다. 일곱은 생각한다고 본인은 말하지만 그저 기분에 휘둘릴 뿐이다. 그리고 남은 셋 중 둘이 생각하는 척을 한다. 사회 문제로 보면 이들이 가장 문제다. 왜냐하면 일곱은 이 둘에게 항상 휘둘려서 찬양하기 때문이다. 그리고 나머지 한명만 생각하지만 이들은 아무런 힘이 없다. 말해봤자 아무도 경청하지도 않으며, 강제로 다수에 의해 끌려 다니는 삶을 산다.

026

사람마다 다른 통찰의 차이

대화를 하다보면 상대방과의 의견이 갈리는 경우가 있다. 내 사색과 경험상으론 되는 걸로 결론이 나왔는데 상대방은 안 된다고 한다. 그래서 어디까지 바라보고 그런 소리를 하는 것인지 궁금하여 깊게 질문을 하면, 동생이든 10살 많은 형이든 대부분 인신공격을 시작하곤 한다. 실제로 생각을 얘기하지 않고 “내가 너보다 오래 살았잖아.” “내가 너보단 성공 했으니까 맞잖아.” 등의 아무 관련 없는 소리로 우겨서 적잖게 당황스러웠다.
어떤 주제에 대해 논할 때는 대화하는 대상과 본인의 수준과 관점, 환경과 시대가 다르기 때문에 잘 흘러가기 어렵다. 물에 들어가기 전 손발로 온도를 체크하고 들어가듯이, 대화도 진지하거나 무거운 대화를 해도 될 수준의 사람인지 체크 하는 것이 좋다. 쓰레기들은 반론을 시비나 공격으로 생각하기 때문이다. 그래서 판단했을 때 아니라면 굳이 세상얘기를 하며 힘 빼기 보다는 연예인이나 스포츠얘기만 하는 것이 좋다.

027

맥락의 단절

'시작이 반이다.' '가만히 있으면 반은 간다.' 그렇다면 시작하고 가만히 있으면 100%일까? '아는 것이 힘이다.' '모르는 것이 약이다.' 그렇다면 알고 바로 기억을 지우는 것이 좋을까? 대체 무슨 말을 믿어야 할까? 허나 사실은 이런 질문 자체가 문제다. 이는 맥락의 단절로 인해 생긴 문제다. 어떠한 의견은 세상이란 나무기둥 위에 무수히 퍼진 하나의 나뭇가지에 붙은 나뭇잎에 불과한데, 그 지론을 모든 부분에 일맥상통하게 처리 하려고 하니 문제가 터지고 만다. 공자님 말씀도 전쟁터에선 쓰레기인데 남의 말만 듣고 분별없이 따른 사람의 종착지는 안 봐도 뻔하다. 요즘세대들의 잘못은 '어른 말을 들으면 자다가도 떡이 생긴다.' 같은 말을 너무 맹신해서 삶이 공중에 떠버리거나, 열정 팔이 들의 만능 끈기론을 믿고 안 되면 될 때 까지 무식하게 밀어붙이다 장렬히 산화해 버리는데 있다.

028

미래로 갈수록 잃는 것

인류는 100세 시대가 올 정도로 긴 수명을 얻은 대신, 원시시대의 하루만도 못하는 삶의 가치를 얻었다. 키를 수술로 늘리면 달리기를 못하게 되고, 스테로이드를 사용하면 심부전증을 얻는 것은 당연한 결과다. 미래에 모든 병을 정복하고 젊어지는 약을 만들수록 인간성은 잃어가다 못해 소멸될 것이다. 완전 AI시대가 될지 그냥 소멸할지는 모르겠지만 확실한 것은 효율성을 얻을수록 인간성을 잃어가고 있다는 것에 있다.

029

행복해야 돼

행복을 좇는 이나, 우리아이 좋은 것만 보고 자라게 만드는 부모나, 편식하는 아이랑 다를 바 없다. 절망이나 잔혹함을 아예 배우지 못하고 자란 이들은 마치 평온하게 자란 미국 꿀벌이 어느 날 한국 장수말벌에게 면역이 없어 무참히 쓸려나가는 꼴과 같은 삶을 마주하곤 한다.

030

못 배운 놈

흔히 상식적이지 않은 행동을 할 때 사람들은 '못 배운 놈' 이라 말하며 욕을 하곤 한다. 그렇다면 못 배운 놈들은 어느 정도 정해져 있을까? 그렇지도 않다. 배달 업자들의 질 나쁜 행동을 보며, 못 배운 딸배 놈들이라고 말하는 사람이 정작 본인은 고졸에 음주운전을 하면서 이를 대수롭게 여기는가 하면. 공공구역에서 본인들의 아이들이 난리치게 방치해 놓고 처음 보는 직원에게 마음대로 반말을 하며 기분에 따라 깔아뭉개는 이가 타인을 보며 못 배웠다고 말하기도 한다. 대부분의 사람들이 이런 식으로 자신의 꼬라지는 한 번도 생각 하지 않고, 본인은 낫다고 착각하는 정신 나간 소리들을 잘도 지껄인다. 혹시 세상은 모두가 배웠다고 착각하는 못 배운 놈들로 이루어져 있는 것은 아닐까?

031

배운 놈

그렇다면 배운 놈의 기준이 무엇일까. 대중적인 의미로 '학술' 이나 '학력'의 기준으로 본다면 교사는 예비 살인자라고 말하는 교육감이나, 대낮에 호텔에서 조건만남하다 걸린 판사나, 학폭으로 인한 8년간의 소송을 불출석해서 패소시킨 변호사 모두 배운 사람들이고 배운 사람들의 행동이다. 아니라면 뭘까. 윤리나 도덕을 중요시 하는 사람일까? 그렇다면 한국은 모두 배우길 스스로 거부한 사람들 아닌가. 학생 때는 입시나 취업에 도움이 안 된다 해서 배제시키고, 회사에서는 돈이 안 된다니, 너는 얼마나 깨끗 하냐니 하면서 자의로 거부했다. 하물며 결혼시장에서 이따위 가치는 취급을 안 해주는데 이제 와서 배운 놈이 되는 것을 바라는 것이 더 역겨운 위선이라 본다.

032

뷔페식 거래

타인의 도움은 바라면서, 내용물에 불만을 표시한다면 닥치고 받지를 말아라. 만약 아쉬워서 받을 거면 개처럼 빌빌대면서 감사할 줄 알아야지 주제도 모르고 자존심 부리지마라. 중간은 없다.

033

호의는 연대의 수준을 따른다

해외에서는 공공구역 출입문을 지나갈 때 문을 잡아주는 행위가 있다. 딱히 이득을 바라지 않더라도 별것 아닌 수고에 감사를 표하며 웃어주면 된다. 허나 한국처럼 희한한 사람으로 처다보면서 아무말도 없이 얌체처럼 지나가면 호의는 오래가지 못한다. 베푼 자만 바보가 되기 때문이다. 회사에서도 내가 업무정보 공유를 해서 집단이 나아지게 하려고 해도, 상대방이 안하면 당연히 멈추고 안 알려준다. 결국 나만 업무 이해가 떨어져서 고과에 안 좋게 보일 확률이 크기 때문이다. 만약 그럼에도 불구하고 아가페 정신으로 아낌없이 나눠준다면? 그로인해 고과가 나빠지면 상대방이 알아 라도 줄까? 아니, 개나발도 모르고 관심조차 없으며 자기실력인줄 안다. 이는 단순히 직장 문제가 아닌 가족, 친구, 이성 관계에서도 마찬가지다. 만약 악랄하게 정치에 이용 한다면 의도적으로 문제를 만들거나, 문제가 점점 커지도록 알고도 방치할 수 있다.

034

사람들은 지혜로운 척을 원 한다

사회인이 되면 선택을 한다. 대학, 직업, 직장, 이사, 결혼, 투자 등에서 인생을 결정하는 중대한 선택을 한다. 몇 가지는 틀리면 다시 돌아오면 되지만 몇 가지는 그대로 끝이며 되돌릴 수 없다. 최선의 선택을 위해 스마트폰도 보고 조언도 구하러 다니며 정보와 지식을 있는 대로 습득한다. 문제는 지식이 쌓인다고 현명해지지 않는다. 진정 현명한 선택을 하려면 지혜로워져야 한다. 이 한번뿐인 소중한 삶, 후회하지 않기 위해 최선의 길을 걸으려면 남들보다 압도적으로 지혜로워져야 한다. 하지만 막상 까놓고 보면 사람들은 지혜를 절실히 원하는 듯 보이지만 전혀 그렇지 않다. 본질적인 이유는 욕망하지도 않고 본능적인 요소도 아니기 때문이다. 즉 지혜는 아무런 재미가 없고 따분하며 때때로 무가치해 보이기까지 한다.

대표적인 예시를 하나 들자면 온라인이나 오프라인 모임의 사람들을 한번 지켜보고 있어봐라. 돈이나 이슈 비난 같은 자극에 절어 살던 이들이 가끔씩 '현타'나 '인생의 의미' 같은 철학적 주제를 지껄일 때가 있다. 이런 버러지들의 특징은 막상 진정 무거운 주제나 진지한 내용으로 넘어가면 듣기 싫어하거나, 기분이 불쾌해지니까 금방 끝내고 다른 주제로 넘어가려고 하거나, 여태 같이 찔어 살던 주제 남들에게 건설적인 주제가 없다고 한탄한다. 그리고 다시 똑같은 짓을 무한 반복 한다. 이를 보면 갈망하지도 않는데 원하는 척 하는 꼴값들은 연애시장도 똑같다. 항상 외모나 재력이 우선이고 그 외 부분들은 관심도 안 갖는 주제 항상 주댕이는 "현명하거나 진실 되고 신뢰할 수 있는 사람, 존경할 수 있는 사람인 것이 가장 중요하다." 라며 주접들을 떨어댄다.

035

올바른 길의 기준이 무엇인가

올바른 길이라고 불리는 곳이 학교고, 나쁜 길이라 불리는 곳이 보통 슬럼가에 있는 양아치 소굴이다. 만약 고를 수 있는 곳이 둘이고 러시아 범죄 슬럼가와 북한의 김일성 대학교 밖에 없다면 어떨까? 뉴스에도 나왔던 중국의 공산당에 충성을 맹세하는 대학생 영상을 보면 온몸에 소름이 돋는다. 저걸 보면 대체 뭐가 올바르다고 사람들은 말할 수 있을까. 넓게 보면 저 섬뜩한 중국 여대생이나, S사의 신입사원 수련회에 나온 북한 빰치는 응원가나, S은행의 기마자세 낭독문 이나 같은 것 아닌가? 대체 뭘 보고 올바른 길이라고 사람들은 말하는 것인가?

036

진정한 학습

세상에는 말로 설명할 수 없고 정보로 남길 수 없는 것들이 많다. 많은 사람들이 레시피를 알아도 쉐프 처럼 만들지 못하는 것은 불 조절, 간 조절, 배합 타이밍에 대한 감이 전혀 없기 때문이고, 미용사의 헤어스타일 잡아주는 영상을 아무리 본다 한들 손이 숙달되어 있지 않으면 소용없다. 음악 역시 '조금 빠르게'라는 글귀만 알고 지휘자 없이 감으로 치면 그 연주는 끝장이다. 나아가 위인들의 이야기는 하루하루의 일상과 실패에서 얻는 경험을 다 잘라내고 결론을 위한 각색과 이미 해결 될 거란 전제 하에 스토리가 진행되기에 아무리 레시피를 봐도 맛이 안 나오는 이유와 비슷하다.

고대 그리스 로마신화에 나오는 전쟁과 지혜의 여신 아테네는 제우스의 두개골을 깨고 나왔으며 처녀신이라 불린다. 그 이유는 지혜는 절대 세습되거나 말로 전수되지 않는다는 것을 알리기 위함이었다. 이처럼 대부분의 사람들은 학습한다고 말하지만 머리로만 알려고 하기 때문에 '학'만 할 뿐 '습'을 제대로 하지 않아 휘발성 경험을 쌓아간다. 그릴 줄도 모르면서 값비싼 도구를 잔뜩 사듯이, 제자리 달리기나 다름없는 그저 단순한 말에 불과한 죽어있는 정보를 머리에 우겨놓고 살아있다 착각한다. 실제로 교과서에 단순 연도표기와 시대상황이 적혀있는 내용과 달리 영화는 그 시절 그 정책이 나오기까지의 복잡한 공정과정을 담아서 느껴지는 것이 다르다. 나아가 만약 본인이 그 상황에 있다면 얼마나 격이 다를지 상상조차 할 수 없다. 이를 못 느끼는 이들은 그저 역사의 연도만 외웠을 뿐, 헛 지식 속에 갇혀 살고 있다. 똑같은 진실이 담긴 글과 언어라 할지라도, 스스로 보거나, 경험하거나 느끼지 않은 사람이 본다면 그냥 말이나 소리에 불과하다.

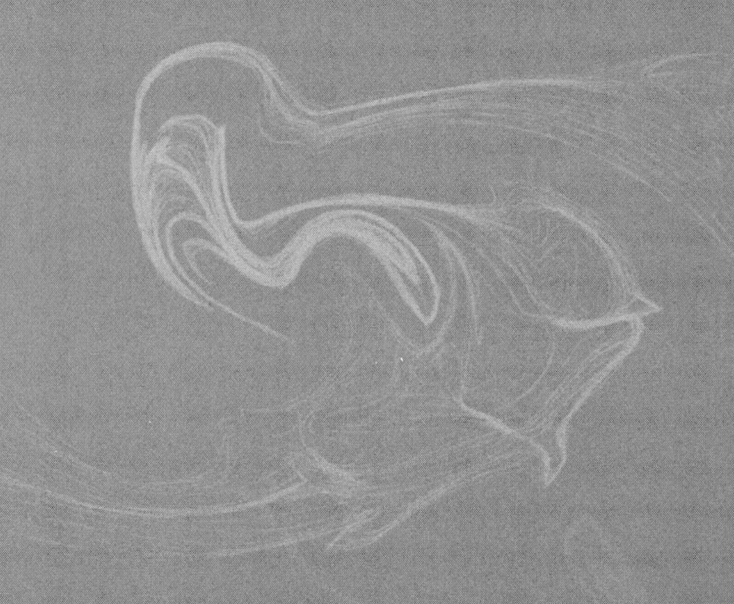

경험담

037

에세이

나는 에세이를 별로 좋아하지 않는다. 물론 이 분야에서도 건질 만한 숨은 보석들이 있지만 대부분은 그렇지 않기 때문이다. 사람인생에 정답은 없기 때문에 뭘 해도 상관은 없다만, 더 나은 길이나 진정성 또는 자주적은 삶을 지향 한다면 '이래도 괜찮고 저래도 괜찮으며 지금 이대로도 괜찮습니다.' 따위의 소리는 경계해야 한다. 당신은 전혀 좋은 상황이 아닌데 위로나 평온 같은 마약을 먹고, 현실도피까지 합리화 시키는 힘을 얻기 때문이다. 그리고 이런 부류의 도서들은 우연인지 모르겠지만 거의 다 에세이 분야 들이다.

038

전문가와 직책 그리고 권위

오래전 고기와 장사에 대해 관심 있던 시절 고깃집에서 일했던 적이 있다. 고기에 관한 다양한 분야를 공부하던 중 '육즙' 에 대해서도 알게 되었다. 그중 하나가 고기를 한번 뒤집거나 여러 번 뒤집거나 육즙이 빠져나가는 것은 동일하다는 것이다. 이 지식은 약 1930년도에 이미 증명된 구닥다리 결론이다. 그런데 내가 본 사장은 쎈 불에 빨리 구우면 육즙을 가둬놓는다고 자랑스럽게 손님들에게 떠벌리고 있는데다 손님들은 명색이 사장이니까 대단하다고 박수 치고 있다. 물론 손님들 중에 알고 있지만 불필요한 갈등을 원치 않아 모르는 척 하는 이도 있을 거라 본다. 허나 직책이 사장이라서 아무 의심 없이 받아들이는 사람들의 행위는 위험한 것 아닌가 걱정이 든다. 최근 유튜브만 봐도 똑같은 의사인데 누구는 아침을 챙겨먹고 저녁은 굶으라 하는가 하면, 또 누구는 반대로 하라고 한다. 전문가들 의 권위 역시 책임을 다하지 않는다면 경계할 필요가 있다고 본다.

039

일류는 확실히 다르다
그런데 초보가 왕초보를 가르친다고?

미용실을 다닐 때 마다 무언가 아쉬울 때가 많았다. 다양하게 옮겨보곤 했지만 별반 차이가 없었다. 그러던 어느 날 누나의 소개로 강남의 일류 헤어숍 원장님께 가게 되었다. 보자마자 나의 두상과 스타일에 최고인 헤어스타일을 추천하고 밀어 붙이 길래 따랐고, 실제로 최고였었다. 언제는 장염이 걸리고 나서 동네 허름한 내과에 갔는데 흰죽만 먹으라고 해서 따랐으나, 고통만 점점 더 심해졌다. 하는 수 없이 부모님이 아는 일류 내과원장이 운영하는 병원에 가니 아침 7시부터 줄이 너무 길었다. 2시간이 지난 뒤에 마주해서 내용을 설명하니, 지금부터 무조건 미지근한 X카리스웨트만 마시라고 하는 게 아닌가? 이전 병원 얘기를 하니 그 의사는 단호히 내 말을 자르더니 “무조건 내 말만 믿어야 삽니다.” 라고 호랑이 눈으로 강력하게 대답했다. 이후 실제로 병이 완치되었다. 어찌 같은 병원장임에도 불구하고 이리 차이가 날수가 있는지 의문이 든다. 이 두 가지 경험을 하고 나니 왜 다들 일류에게 돈을 많이 내더라도 의뢰를 맡기는지 알 것 같다.

위의 두 가지 예시를 통해 진짜 하고 싶은 말은 '초보가 왕초보를 가르치는 것.' 에 대한 의견이다. 몇몇 '성공 팔이' 들이나 '블로그 강의 팔이' 들이 저런 말을 떠들고 있는데 이는 엄밀히 말하면 본인의 취약함을 정당화 시키는 마취제나 다름없다. 어떤 분야든 일류에게 다들 배우려고 하는 이유는 야매로 배웠을 때 나중에 고치기 어렵거나 굳어버리는 경우가 있기 때문이다. 저들은 본인들의 이익을 위해 남들의 성장에 아무런 죄책감 없이 선을 그어버린다.

040

공허함

2014년도 호주에 있던 시절 대한민국에 비해 호주는 시급이 높아서 젊은 남성이 마음만 먹으면 월 4~600 만원은 벌수 있었다. 그래서 갓 전역한 사람이 가면 보통 투잡 쓰리잡에 잠을 자는 시간까지 아껴가면서 온몸을 불사질러서 돈을 벌었다. 그들의 통장 잔고는 미친 듯이 쌓여 갔다. 저 속도면 1년 안에 1억도 충분할거 같이 보였다. 허나 이상하고 신기한 일이 생겼다. 가끔 하우스파티가 열리면 그들은 망가지듯 한 맺힌 것처럼 논다는 것이다. 술 먹고 토하면서 지금 만약 죽더라도 안 놀면 죽는 것처럼 절망하듯이 노는 경우도 있다. 그런가 하면 뜬금없이 엄청 비싼 제품을 사놓고 자신에게 주는 보상이니까 괜찮다고 자기합리화를 한다. 그렇게 지나고 보면 결국 이들은 죽도록 고생한 것에 비해 돈을 못 모았다. 그들은 돈을 많이 벌지만, 무언가 한 맺힌 후회와 막대한 보상심리가 섞인 공허한 쾌락으로 삶의 동력을 유지하는 것으로 보였다.

시간이 흘러 어쩌다 월 매출 평균 8천만원이 넘는 대박 음식점에서 일하게 되었을 때 그 가게 시스템도 유심히 봤지만 무엇보다 사장을 관찰하고 이것저것 물어보면서 지켜봤다. 이전에 흐르는 소리로 직장에서 본인의 미래가 궁금하거든 옆의 상사들을 보면 그것이 당신의 미래라는 말을 기억했기 때문이다. 그래서 그 당시의 내게, 나의 미래이자 이상 이였던 사람을 연구학자처럼 분석했다. 이미 눈치 챘겠지만 이 사장은 돈독에 망가진 호주 사람들과 똑같았다. 처음에는 그저 흔히 기만하는 줄 알았는데 아니었다. 언젠가 방송으로 봤던 응급센터에서 새벽 2시에 식은 피자를 먹으며 이게 성공한 것인지 의문을 표하는 인터뷰를 하는 의사를 봤을때와 기분이 똑같았다. 이제야 왜 잘되는 식당 사장들은 꼭 외제차를 사려고 하는지도 알 것만 같았다. 다 그런 것은 아니겠지만 놀 시간도 없고, 울분 섞인 욕망을 충족시킬 수단이 마땅히 없기 때문이었다. 그들은 공허함을 외치지만 모두에겐 그저 배부른 소리로 들리기에 외제차라는 두통약을 삼키곤 한다.

041

익숙함

사마귀 때문에 피부과에서 냉동치료를 오래 받은 적이 있다. 드라이아이스를 물집이 생길 때까지 오래 잡고 있으면 되는 것과 비슷한 고통인데, 1년이 넘어도 고통이 익숙해지지 않았다. 과거를 돌이켜보면 이걸 어떻게 버텨냈는지 의문이 들다가도 막상 치료를 받으면 너무 죽을 것 같다. 생각해보니 전역을 해도 직장에서 다시 또라이 상사를 만나면 이전의 단련된 맷집은 별 소용없다. 하루하루를 버티는 것은 정신력이 아니라 술이나 담배가 도와준다는 것을 절실히 깨닫게 된다. 우리는 지옥 같은 과거를 이겨낸 사람을 존경하지만, 막상 그들도 다시 지옥으로 들어가게 되면 일반인과 별반 다를 게 없다. 이는 의지의 문제와는 다른 영역이기 때문이다.

042

허세와 과장은 같은 남자지만 부끄럽다

성별 특성은 꺼내고 싶지 않지만 같은 남자로서 고해성사를 하자면, 나는 남자들이 허세나 과장, 나아가 구라를 그렇게 잘 치는지 꿈에도 몰랐다. 무슨 생각인지 딱히 득 될 것 없는 자기 포장에 사활을 걸겠나 싶어 바보처럼 많이도 속았다. 어쩜 그리 개소리를 눈알 똥그랗게 하고 당당하게 하는지, 뒤는 생각도 안하고 무작정 이기려 들려고 내기를 거는 것인지... 왜 여자들이 가끔 속았다고 하소연 하는지 알 것 같다.

043

중요한건 내 입맛이 아니다

돈벌이나 남들의 환심을 사기 위해서는 남이 원하는 것을 주는 것이다. 운 좋게 내가 원하는 것이 남도 원하는 것이면 더할 나위 없이 좋지만 보통 그렇지 않다. 허면 그럼에도 불구하고 왜 본인의 입맛에 맞추려 하는 건지 이해할 수 없다. 남들도 좋아할 거라고 길가는 사람 붙잡아서 아프리카 식당으로 끌고 가지도 말고, 괜히 마음 상할까봐 아무 말도 안하는 답답한 모습이 스스로 좋다고 생각 하는 짓도 좀 하지 말고, 괜히 부담스럽게 비싼 음식을 마음대로 사주고 자기 위안 좀 갖지 말고, 처음 만난 자리에서 자기 자랑 좀 하지 말고, 어버이날에 로보트 사주는 아이가 되지 말 것.

044

도전하라는 말도 공허하게 들릴 때

실패도 10년 이상 하면 무기력을 넘어서 모든 것에 조금이라도 확실한 보상이 없을 경우 강력한 불안과 의심 그리고 부정적이고 소극적인 사람이 된다. 폭풍처럼 몰아치는 보상심리로 인해 맨 정신으로는 더 이상 다음 발을 내딛기 어렵다. 매 순간마다 다 던져버리고 싶은 마음이 요동치기 때문이다. 머리로는 저 길을 가야만이 달라질 수 있다고 생각하지만 만약 실패를 과하게 많이 했다면 본능적으로 우울감과 하기 싫음이 쓸려 내려온다. 실제로 존재 한다 해도 몸이 직접 본적이 없어 느낄 수 없으면 그것은 알아도 몸이 계속 기피하게 된다. 답답해 미칠 지경일 것이다.

045

참았던 울분은 자연스럽게 사그라지지 않는다

모두가 그런 것은 아니지만 간혹 퇴사하고 나면 그동안 쌓인 긴장이 풀려서인지 원인은 정확히 알 수 없으나 몸살이나 열이 발생하는 부류가 있다. 자신도 모르게 스트레스를 억누르고 있었지만 그게 자는 동안 사리지지 않고 계속 누적이 되었던 것이다. 그때그때 풀지 못한 부작용이 나중에서야 모여서 발생하곤 한다. '참는 연습'에는 부작용이 따른다. 우리가 앞으로 나아가기 위한 도구로서 고행을 지나갈 무기가 될 수 있지만 경우에 따라선 훗날 무기력증과 우울증으로 보답하는 경우도 있다.

046

조언

조언은 섹드립과 같다. 잘해야 본전이고 대부분은 분위기를 망치거나 파탄 낸다. 이득을 볼 확률은 매우 낮고, 리스크는 엄청 크다. 즉 하면 할수록 인간관계가 파국으로 갈 가능성이 높다. 예시를 들자면 연예상담에선 '네가 우리 오빠에 대해 뭘 알아.' 라는 소리만 듣고 밤새 대화를 해도 다음날 아무 일 없었다는 듯이 남자친구와 잘 지내는 것을 본 기분이다. 식당의 경우는 '그건 손님 생각이니까 앞으론 오지 마세요.'가 있다. 간혹 '그럼에도 불구하고 나는 그들을 돕겠다.'고 말하는 사람들도 있지만 대부분 아직 안 데여본 세상물정 모르는 이들의 전매특허 발언이 된다. 만약 진심을 담아 아가페적으로 돕다 보면 '백종원 대표'와 '강형욱 코치'는 알아주는 사람이라도 있지 본인은 돈은커녕 울화와 혈압만 쌓인다는 것을 뼈저리게 느끼게 될 것이다. 성서에 이런 말이 있다. '너의 진주를 돼지들 앞에 던지지 마라'

인터넷

047

커뮤니티

온라인 커뮤니티 사이트 회원 스스로가 본인이 생각할 줄 안다고 말하는 것은, 마치 음주운전 걸린 연예인이 술은 마셨지만 운전은 하지 않았다고 하는 말과 같다. 이들은 생각할 수 없다. 커뮤니티 사이트는 흔히 일반화의 오류, 흑백논리가 가득하며 보통 자극적이다. 허나 이는 부가적인 문제고, 가장 큰 문제는 사고의 통일화다. 논쟁이나 이슈가 나왔을 때 다수의 의견과 불일치할 경우, 집단공격을 통해 이상한 사람으로 낙인을 찍는다. 심할 경우 아예 차단하기 때문에 이는 사실상 공동체 추방이나 다름없다. 때문에 커뮤니티에 있으려면 애초에 개인으로 존재 따윈 불가능 하고 집단의 사상 안에서만 생각이 가능하다. 때문에 집단의 정해진 입맛에 맞지 않은 정보나 사상은 원천차단 되기에 편파적인지 아닌지 조차도 인지를 하지 못한다. 이는 마치 페스트 푸드 매장만 가리지 않고 가는 고도비만 환자가 "나는 편식한 적이 없다."고 하는 것과 같다. 이렇게 대중화된 이들은 각자의 커뮤니티 속에서 합리적인 척 하며 정상인이라 착각하고 살아간다. 그런 확증편향적인 사고로 태연하게 마녀사냥을 하고, 누가 죽기라도 하면 본인은 안 그런 척 혐오하며 며칠 지나면 잊고 똑같은 행위를 반복한다.

048

과거조작

SNS가 원래 그런 건지 모르겠지만 가만 보면 과거를 계속해서 자기 입맛대로 변경하는 사람들이 참 많다. 자신을 사업가라고 소개하다 시들해지니까 예술가로 활동한 척 한다 던지, 본인이 직접 해놓고 나중에 가서 그건 내 의지가 아니었다 하는 이들이 참 많다. 이런 정신병자들이 직장에서 기억 안 난다고 책임 전가하는 이들로 진화 하는 건지는 알 수 없지만 피눈물의 공개망신 이전에 스스로 멈출 순 없는 것일까?

049

인터넷 검색이 논리와 사고체계를 잃는다는 말은 솔직히 가소롭다

인터넷 검색이 대중화되기 시작하고부터 사람들은 검색이 주는 정보를 토대로 생각 한다고 우려를 표했다. 이제는 인공지능으로 인해 검색 및 정보의 편집조차 건너뛰어 사고 의탁의 영역까지 오니 말이 많다. 그리고 이때마다 들려오는 소리가 논리적 사고와 독서의 중요성이다. 몇몇 전문가나 네티즌들은 책을 제대로 읽어 본적이 없는 나머지, 필요 이상의 올려치기를 통해 중요함을 연설하지만, 이는 본질을 보지 못하고 강물에 비친 달을 잡으려는 것과 같다. 먼 옛날 15세기 1450년대쯤엔 책에 대한 걱정을 했었다. 독일출신인 구텐베르크가 발명한 금속활자와 인쇄기를 통해 유럽에 인쇄 혁명이 일어나 대량의 인쇄물이 출판되기 시작했기 때문이다. 대량 인쇄가 확산되면서 신뢰성, 진실성이 결여된 채 무분별한 출판물들이 쏟아져 나와, 정보의 과부화로 인한 헛똑똑이 들이 세상에 넘쳐 날거라 전망했다. 이후 4세기가 지난 19세기에 철학자 쇼펜하우어가 가치 없는 문학적 쓰레기가 대량 생산되고 있다고 맹비난 한 것을 보면 확실해 보인다. 이때를 보면 현 시대의 인공지능 걱정과 별 다름이 없어 보인다.
차이점이라면 현 시대는 더 이상 책에 대한 걱정과 비판이 없다. 그렇다면 이런 걱정은 단순한 설레발이라고 말하는 걸까? 그건 아니다. 요지는 이때나 저때나 항상 매체에 대한 논쟁은 끊임이 없었으나 정작 중요한 문제는 뒷전 이였다는 것이다. 진정한 본질은 스스로 생각하는 사람이냐 아니냐가 중요하지 매체가 중요하지 않다는 것이다. 책을 읽는 이들 조차도 타인의 사고에 녹아들어서 생각하는 법을 잊어버리기 때문이다. 이에 관해 니체는 "학자들은 사색하는 능력을 완전히 상실하고 만다. 책을 뒤지지 않을 때는 생각하지 않는다." 라고 말했으며, 쇼펜하우어는 "독서는 스스로 사고하기의 단순한 대용품에 불과하다. 독서를 하면 남의 생각에 자신의 사고가 끌려 다닌다." 라고 말했다. 고로 급선무로 해야 할 것은 스스로 사고하는 사람이 될 수 있도록 돕는 것이다.
구체적인 내용을 설명하기엔 너무 방대해지니 가볍게 다루자면 총체적으로 느끼고 행해되 사유해야 한다. 누군가는 경험을 중히 여기지만 나는 살면서 정신연령이 중학생에서 멈춘 5~60세 어르신들을 많이 봐왔다. 군대를 간다고, 결혼을 한다고, 나이를 먹는다고 해서 성장하는 것은 아니다. 누군가는 사색을 중히 여기지만, 이들이 머리만 무거워져 방구석 철학자로 진화하는 꼴은 흔히 볼 수 있다. 또 누군가는 도전을 중히 여기지만 이들은 쉽게 명성이나 쫄깃한 위기 같은 자극에 쉽게 빠져 단순히 리스크를 즐기는 자가 되기도 했다. 이렇듯 총체적으로 진행되지 않고 무언가 하나만 최선으로 여겨 매몰되면 안 된다. "백문이 불여일견이요, 백견이 불여일각이며, 백각이 불여일행." 이라는 말에 동의는 하나 그렇다고 행함에만 집중하고 사유하지 아니 하면 그냥 오래 살은 X신 일 뿐이다.
허나 이 말은 웃기게도 현실에 가장 먼 대안인 것을 잘 알고 있다. 북유럽도 아닌 이 주입식 교육의 대명사인 대한민국에서, 발표를 눈치 주는 나라에서 가능할 리가 없다. 결국 수박 겉핥기만 무한히 반복 될 것이다.

050

어른들은 좀 나대지 마라
숏폼 중독과 걱정 트렌드

우리아이 망가질까봐 걱정하는 것도 트렌드가 있었다. 1990년대는 일본만화와 비디오였고, 2000년대는 인터넷과 컴퓨터 게임이 뒤를 잇다가 2010년대는 스마트폰이, 2020년대는 숏폼 콘텐츠 중독이 뇌를 망친다고 떠들어 대고 있다. 이렇게 시대만 바뀌며 심각성만 대두됐을 뿐 뒤돌아보면 설레발이나 다름없었다. 지금 보니 어떠한가? 2021년 콘텐츠산업조사에 따르면 게임 산업은 연간 콘텐츠 수출(124억5290만 달러)의 전체 69.6%(86억7287만 달러)로 대부분의 비중을 차지하고 있다.

반대로 현시대 학부모나 어른들을 보라. 대부분 초등학교 졸업에 청소년시절 전쟁터도 나갔으면 역겨운 꼴 다 봤을 탠대 다 쓰레기들인가? 1980년대는 버스에서 흡연도 하고 어린이들은 화약총, 비비탄 총을 가지고 놀았으며 본드 도 할 수 있었다. 최근 당근 칼 논란으로 뉴스가 시끄러운데 이때는 맥가이버 칼을 가지고 놀았다. 그런데도 어느 시대나 존재하는 낙오자들을 빼면 다들 사회의 기둥역할을 하고 가정을 꾸렸다.
요컨대 걱정 트랜드는 주제만 다를 뿐 내용은 그저 주방에 있는 칼과 길바닥에 놓인 돌이 위험하니 다 치워버리자 같은 논리와 별반 다름이 없다. 왜 나이 먹고 그대로 자식세대들에게 통제하고 싶은 욕구를 주체 못해서 나대는가? 막상 공공장소에서 항상 말썽을 부리는 부류는 노인들인데 말이다. 솔직히 넓게 보고 있으면 학부모나 학교 국가 전부 한통속이나 다름없다. 본인들 입맛대로 권위와 순응을 요구해 놓고 변화를 바란다. "너 엄마한테 말대꾸야." "제발 하라면 하자." "이걸 시켜야 하니." "어디 임원이 말하는데 까라면 까야지." "게임 같은 거 하지 마!" 같은 소릴 지껄이면서 창의성을 바란다는 것은 양심이 없는 거다.

051

선한 영향력

언제부터인지 '선한 영향력'이 많이 나오던데 어디서 이 '선한 영향력'이라는 단어가 만들어졌는지 모르겠다. 누구 머리에서 처음 시작 된 건지, 출처를 알 수 없지만 참 어처구니없는 단어다. 보통 이런 부류들을 보면 기본적인 재미나 의미, 감동은 없고 쓰잘대 없는 자기만족적 콘텐츠만 생산하면서 이 행위로 인해 세상에 선한 영향력을 끼치고 싶다고 한다. (물론 그렇다고 내가 그들보다 압도적이고 쓸모 있는 콘텐츠 생산자라는 뜻은 아니다)
이런 나사 빠진 놈들을 어디서 봤나 곰곰이 생각해보니 식당 앞에 '청년'이 들어간 브랜드들이었다. 잘 할 생각은 안하고 지들 어설픈 것 응원해달라고 '청년' 팔이를 하는 건방진 브랜드들과 속성이 비슷하다. 그럼 반대로 '악한 영향력'은 어디를 말하는 것인가? 전 세계 하청을 끼고 돌리는 '애플'과 '나이키'를 말하는 것일까? 아니면 '코카콜라' 나 '맥도날드'를 대상으로 말하는 것일까? 회사원들 건강에 안 좋으니 도시락이랑 패스트푸드 다 치워버리고 점심식사로 가격이 13000원은 훌쩍 넘는 샐러드 만 먹게 하고 싶은 것일까? 이따위 소리는 판교역 근처에서 직장생활 조금이라도 해보면 패스트푸드점이 얼마나 천사인지 금방 알 수 있다. 본인의 선한영향력을 내세우기 전에 우선 기본적인 '가치'나 '필요'부터 제대로 해보려고 애 쓰는 것이 먼저 아닌가? 내가 볼 때는 아무런 가치도 못 만드는 쓰레기들이 동기부여 뽕에 취해 사회 기여 하고자 만든 정신승리 슬로건 제목이 '선한 영향력' 이 아닌가 싶다.

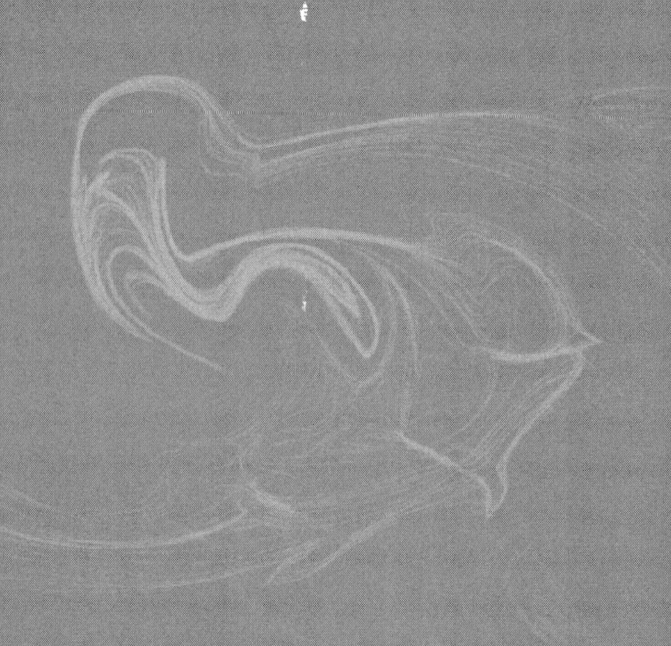

인생론

052

세상의 법칙

몇몇 사람들의 계획을 보면 스팸구이와 밥처럼 단순하여, 마치 스팸만 잘 구우면(나만 열중하면) 된다고 여긴다. 허나 세상이치는 그렇지 않고 오히려 김밥의 '햄'에 더 가깝다. 햄이 빠지면 절대 안 되는 것이 김밥이지만 그렇다고 햄만 멀쩡해봤자 김밥 안에선 아무런 힘을 쓸 수 없다. 자본이라는 '밥'과 부모의 영향력인 '단무지' 나아가 그 외 모든 것이 갖추어 져도 운이라는 '김'이 감싸주지 않으면 '햄'을 아무리 잘 구워 봤자 의미 없는 폐기물이 된다. 햄 혼자서 모든 것이 가능하다고 믿는 부류들은 오직 성공 팔이 들과 동기부여 팔이 들 밖에 없다. 나아가 사람들 역시 자신의 노력의 결과에 비중을 크게 주고, 주변 환경이나 갖은 자산, 스승, 집안의 조력, 타이밍에 대해선 심각할 정도로 저평가를 한다. 오히려 아놀드 슈왈츠 제네거처럼 많은 사람들의 도움 없이는 지금의 자신은 절대로 불가능 했다 밝히는 사람들이 극소수에 가깝다.

053

사람의 생각과 본질은 정말 불협화음이다

줄타기를 하는 곡예사처럼 본질에 다가가길 원하지만, 실상은 만취한 주정뱅이의 걸음으로 나아간다. 걸으면 걸을수록 본능에 놀아나고, 감정에 휘둘리고, 이성에게 속아 넘어간다. 그렇기에 이 모든 것을 이겨내고 본질이 있는 곳으로 가려 하더라도, 과정은 괴롭고 재미도 없으며 공감도 이해도 없는 곳에 종착지가 있을 확률이 크다.

054

사상과 멀리 떨어져 있는 것이 학술이다

학술에는 의심이나 호기심이 제기되지 않는다. 학술이 추구하는 방향은 정보의 질이나 양의 습득에 있다. 때문에 스스로 비평, 고찰, 사유하는 것을 인정하지 않으며 개인이 검증하고 받아들이는 것은 무시된다. 그렇게 성장한 사람은 수많은 지식을 갖고 있지만 아무런 생각도 하지 못한다. 비유하자면 마치 미필 밀리터리 마니아와 현역 군인과의 격차와 같다. 이는 꽤 차이가 있으나 지도자에게는 앞만 보고 달리는 경주마의 기능만 있으면 충분하기에 별지장을 못 느낀다.

상황이 이러다 보니 학술은 대대로 권력의 시녀로 활용되었다. 그 중 역사에서 크게 나타나는데, 시대에 따라 권력 또는 정치이념의 입맛에 따라 역사해석이나 인물평가가 달라진다. 또한 역사교육은 모든 국가가 자국의 이익중심으로 가르칠 뿐, 진실이나 객관성 따위는 관심이 없다. 이는 영국의 철학자 버트런드 러셀이 심도 있게 다뤘는데, 그의 저서에서 "교육은 아이들을 선악에 관계없이 순종적이며 예의 바르고 범죄를 덜 저지르게 한다. 또한 공공의 목적을 위해 공통의 행동을 취하기 용이하게 만들어, 정부가 제시하는 방향을 사회가 더 잘 따르게 할 수 있다. .... 아이들에게 기존 체제를 존중하고, 기존 권력에 근본적 비판을 하지 못하게 한다. 또한 다른 나라를 의심과 경멸의 눈으로 바라보게끔 가르친다." 고 밝혔다.

때문에 대학은 학술과 권위를 가르치는 정부 수행처 기능에 충실할 수밖에 없다. 유대계 미국 언어학자이자 철학자 노엄 촘스키는 이렇게 말했다. "학창 시절 엄청난 빚을 지게 되는 학생들이 사회를 변화시켜 보겠다는 생각을 가지긴 어렵습니다. 사람들을 채무 구조에 가둬 놓으면 생각할 여유마저 없게 되죠. 그들이 졸업할 때 쯤 빚에 허덕일 뿐만 아니라 훈육 문화를 내면화하게 됩니다. 이는 소비 경제에 있어 좋은 요소이죠." 그런가 하면 심리학자 조던 피터슨 교수는 이렇게 말했다. "음모론 적으로 바라보면 학생들이 교육시스템을 거치며 더 약해지도록 하려는 것 이 아닌가 싶습니다. 그럼 적어도 경쟁은 약화되니까요. 학생들이 어리석으면 교수나 시스템에 도전할 생각도 없어질 테니까요." 이처럼 현실적으로 대학에서 사상이나 사고의 확대를 기대하는 건 불가능에 가깝다.

이미 한국 대학은 무엇을 가르친 다기 보다는 오래전부터 취업양성소가 되었다. 가끔 취업률이나 유망학과 이야기가 나오면 대학은 교육의 장이라고 주접떠는 이상론 자 들이 나오곤 하는데, 말은 그럴싸하지 만약 회사에서 학력이나 학점을 아예 안 쳐준다고 했을 때 몇이나 진심으로 남을지 궁금하다. 결국 일반적으로 사람은 어려서부터 학교와 직장을 나오기 전까지는 충만하게 사유하며 사상을 갖기란 거의 불가능에 가깝다는 것을 알 수 있다.

055

생각의 결여

2005년 개봉한 영화 아일랜드는 복제인간을 소재로 다루고 있으며, 간략한 스토리는 이들이 살아가는 현실은 거짓이고 이들의 역할은 그저 인간들에게 신체부위를 제공하기 위해 살아갈 뿐 최후는 죽음밖에 없다는 것을 알게 되어 탈출하는 이야기다. 영화의 남주인공 링컨6-에코(이완 맥그리거)와 여주인공 조던2-델타(스칼렛 요한슨)은 그들이 사는 시스템 사회에서 대조적인 모습을 보인다. 델타는 학습능력도 뛰어나고 사회성도 좋아 사람들과 친화적이고 잘 순응하며 지낸다. 에코는 매사에 불만이 많다. 의심도 많고 호기심도 많아 적응을 어려워한다. 그런 에코를 델타는 너무 부정적으로 살아간다고 말한다. 이미 예상하겠지만 결과적으로 델타는 에코의 의심 덕에 죽음을 피해갈수 있었고 진실을 알게 되어 거짓된 공간에서 벗어날 수 있었다. 세월이 흘러 비슷한 영화들이 나와도 절실히 기억될 수 있었던 점은 아일랜드의 델타만큼 사유기능이 거세당한 캐릭터는 별로 없었기 때문 아닌가 싶다.

056

진정한 스승

세상에 진정한 스승은 단 하나 뿐이다. '현실'님이다. 현실님과의 관계에선 가치관의 차이도, 서열관계도, 흘러듣는 것도 없다. 대단한 인물이 와서 조언을 해도, 사람들은 무시하고 한 귀로 흘러듣기 쉽다. 짜게 먹는 사람에게 주의를 주면 변화가 없지만, 현실님께서 신장병을 내려주셔서 콩팥이나 간을 도려내면 순식간에 저 염식 식단을 잘 행하게 된다. 오직 현실님만이 지엄하고 깨달음을 주는 진정한 스승이다.

057

싸우지 않겠다는 건 자기 밥그릇이 먼저 걷어차이겠다고 선언하는 것이다

학교, 직장, 친구, 그 외 대인관계에서 항상 갈등은 불가피하다. 하루에도 크고 작은 갈등이 수없이 발생하곤 한다. 여기서 짚고 넘어갈 주제는 명백히 상대방이 선을 넘었을 때다. 물론 상황에 따라 다르겠지만 대략 대응해도 죽을상황은 아니고, 피해도 계속 봐야하는 사이다. 예시를 들면 지인이 만만하게 보고 심한 장난을 저질렀거나, 부하직원이 대놓고 무시하거나 같은 상황이다. 이때 누군가는 싸움을 피하고 참는다. 괜한 충돌로 상처를 주거나 받기 싫어서거나, 그냥 쫄아 버려서거나, 잘못하면 끝장나니 조금이라도 지키고 싶어서 등 다양하다. 합당한 이유겠지만 뭐가 됐든 결국 돌아오는 것은 양쪽 모두 챙기기는커녕 본인의 밥그릇만 빼앗기거나 걷어차이는 결과로 오게 돼있다. 어디서 명심보감 같은 책의 내용을 주어 듣고 군자의 행동 이라거나 교양 있는 사람이라고 착각을 하는데, 공자님 말씀도 전쟁터에선 쓰레기거늘 현실은 계속해서 개차반으로 흘러가고 타인은 자기 아래라 생각하며 무시하거나 희롱하는 것이 실상이다.
이런 이유를 대자연의 법칙이라고 뭉뚱그려 말할 수도 있지만 자세히 접근하자면 생물학적으로 뇌는 '인지'하지 못하면 '인식'을 못한다. 그리고 인지하려면 생물은 무조건 '연기'를 해야 한다. 덩치가 커보이게 보여주거나, 가슴을 두들기거나 하지 않으면 백날 죽었다 깨도 상대는 남의 마음을 몰라준다. 괜히 사람들이 조금만 해줘도 '생색'내는 것이 아니다. 때문에 보여주기 식 일처리가 있는 것이고, 호의가 계속되면 권리인줄 안다는 말이 생기는 것이고, 국가 간의 외교도 이와 마찬가지다. 때문에 회피하는 것은 아무런 해결을 주지 못한다. 나중에 더 큰 피해만 보장한다. 존엄성을 지키려면 투쟁해야 한다.

058

토론의 본질

보통 의견이 갈릴 경우 찬반토론이나 공개석상에서 논쟁을 펼친다. 이를 통해 논리의 우열을 가리고 이긴 쪽의 의견을 채택한다. 이성적이고 합리적인 행위라 여기지만 진실은 그렇지 않다. 토론의 본질은 진리를 찾는 것이 아니다. 중요한건 진실이 아니라 상대방을 깔아뭉개는 것이다. 그 이유는 인간의 본질이 기분을, 좁은 의미로 자극을 따르도록 만들어졌기 때문이다.

한 예로 어떠한 분야에 대해 1년 이상 공부한 사람과 아무것도 모르는 언변가가 공개석상에서 논쟁을 펼치면 대부분은 언변가가 승리한다. 말꼬리를 잡거나, 논점 흐리기로 흔들어놓으면 상대는 '어버버' 하게 되고 청중은 내용의 진실여부와 상관없이 언변가가 더 논리적이라 판단한다. 인류역사는 이런 식으로 항상 흘러갔다. 때문에 토론의 본질에 충실한 사람들은 지성인 놀음에 빠져 격식만 차리다 다 날려버리는 이들이 아니다. 말 끊고, 말 안 듣고, 제멋대로 해석하는 정치인들이다. 정말로 진실을 갈

구한다면 차라리 장문의 글이 담긴 문서를 통해 모두가 수정에 수정을 거듭하는 것이 낫다.
덧붙이자면 말을 잘하는 것과 생각하는 것은 다르다. 말을 잘한다는 것은 감정표현 즉 연기를 잘하는 것이지 생각하는 것은 아니다 . 팔랑 귀에 생각 없는 인간도 언제든지 토론할 때 논리정연한척을 할 수 있다. 연예인이나 방송인은 물론이고 문학 작가, 칼럼니스트, 평론가들 역시 아무것도 모르고 한마디 하다가 골로 가기도 하고 허무맹랑한 궤변을 늘어놓다가 자폭하기 일수다. 생각이 없어도 지식인 놀이는 충분히 할 수 있다. '연기' 가 가능하기 때문이다.

059

고립

생명공학이나 뇌 과학 등 다양한 학술 연구에 따르면 이 잔혹한 유전자는 끝없는 외로움과 고립을 조장한다고 한다. 원시시대부터 항상 무리생활을 해 와서 그렇다는 설이 가장 유력하긴 하지만 공동체에 있어도, 그렇다고 혼자 있어도 해결되지 않으며 원인 또한 정확히 알 수 없다고 한다. 이러한 요소들 때문에 끝없는 불안에 시달린다고 한다.
책에서 밝힌 대안은 혼자 있기와 같이 있기의 조화 즉, 숲속의 나무들을 추구하라고 한다. 멀리서보면 같지만 가까이 가보면 각자 서로만의 고유 영역을 띄우는 것에 비유한 것이다. 명쾌한 소리인데, 개인적으로 덧붙이자면 모래 여야 한다고 본다. 차이는 가까이서 보면 설령 비슷하게 보이는 경우가 있더라도 알갱이 하나하나가 자신만의 색을 띄워야 한다고 본다. 경험상 고유 영역을 띄워도 색이 없으면 갈대처럼 줏대 없이 바람 부는 대로 휘둘리는 인생도 위험하지만, 반대로 참나무처럼 올곧고 꼿꼿해도 종국에는 뿌리 채 뽑히고 말기 때문이다.

060

후회할 수밖에 없다

내 20대 초창기 좌우명은 '반성은 하되 후회는 하지말자'였다. 허나 오랜 세월이 지난 지금 드는 생각은 '사람은 무엇을 하더라도 후회는 한다. 아니 할 수밖에 없다.'라고 생각한다. 금수저에 천부적으로 타고난 사람은 모르겠다만, 일반인은 그렇지 않다. 그렇기에 주어진 24시간 안에서 잠, 일, 운동, 자기계발, 연애, 결혼, 돈, 취미, 여가 기타 등등 선택지 중에서 어떤 되돌아 올수 없는 길을 갈지 정해야 한다. 모두 이루겠다는 것은 정신병자의 뇌내 망상에 불과하다. 그러다 보니 공부를 많이 한 사람들은 "이럴 줄 알았으면 어릴 때 마음 것 놀아볼 걸." 이라 하고, 반대로 오늘만 생각하며 놀은 사람들은 "이럴 줄 알았으면 어릴 때 공부 좀 해 놓을 걸." 이라 말한다. 마치 미혼과 비혼을 보는 듯하다.

본인이 가보지 못한 길에 대한 미련과 막연함은 당연히 있는 법이다. 먼 훗날 일이 다 잘 풀리게 되면 그때 가서야 모든 것이 감사하다고 입 싹 닫는 사람이 될 수 있지만 그 전까진 허무와 무력감 속에서 평생 썩는 기분이나 다름없다. 때문에 무엇을 하던 완벽히 잘풀리지 않는 이상 후회는 할 수밖에 없으니, 가능하면 '이걸로 됐다'는 마음가짐을 가졌으면 한다. 일찍이 옛날 농경사회는 과학이 발달하지 않아 원인 모를 흉년이 오면 지난 1년의 고생이 물거품이 되었다. 방법도 몰라서 제사도 지내보지만 당연히 먹힐 리 없다. 그래도 농부는 농사를 짓는다. '최선을 다하되 그 이후부터는 하늘에 맡긴다.' 같은 농부의 자세와 같다.

061

집착

집착은 부정이 아닌 긍정에 사용해서도 안 된다. 이유가 뭐든 집착을 하게 되면 본인의 시야에는 그 대상만 보이게 된다. 그렇게 되면 자연히 균형과 조화는 깨지게 되고 당사자는 이를 알아차리지 못하게 된다. 이를 타인의 관점에서 보면, 집착하는 사람은 자연스러운 상황이 아닌 부담감이나 이질감이 전해져서 멀리하고 싶은 마음이 생긴다. 소개팅에서 어떻게든 잘하려고 집착한 나머지 온몸이 굳어 퇴짜를 맞거나, 강의를 더욱 잘하려고 욕심내서 내용에 깊이를 추가하다보니 분위기는 딱딱해지고 지루해져서 평가를 망치는 경우가 그렇다. 그래서 프레임에 갇히면 제대로 앞을 볼 수 없다. 이렇게 집착은 귀신처럼 뒤로 다가와 내 눈을 가려 무엇이든 안 풀리게 막아버린다. 그래서 중요할수록 '어깨 힘을 빼야 한다.'

062

사람의 한계

역사는 반복한다와 소 잃고 외양간 고친다는 말은 결이 비슷하다. 사람은 데여보지 않으면 좀처럼 바뀌지 않고, 몇 번 데여봤음에도 불구하고 똑같은 짓을 나중에 또 한다. 최악의 부류는 반복되는 경험을 했지만, 문제를 사전에 봐도 해결하지 않고 방치한다. 인류 역사가 오천년이 흐르든 만년이 흐르든 달라지지 않는 점은 변하려고 하는 사람은 소수인 점과 이들의 의지와는 별개로 집단의 우두머리가 된 자가 별 생각 없고 변화를 거절해버리면 아무리 본인이 잘났거나 역사를 공부해도 다 같이 바보놀음에 휘말릴 수밖에 없다. 씁쓸한 사람의 한계가 아닌가 싶다.

같잖은 소리들

063

직업에 귀천은 없다

직업에 귀천이 있을까? 이런 말은 보통 꺼낼 때 상황이 어떠한지가 중요하다. 공적영역이나 처음 보는 사람들, 혹은 안 좋은 직업을 갖은 사람들이 많을 때는 없다고 한다. 반대로 신경전이나 인격모독 또는 익명성이 보장되는 공간에서는 있다고 한다. 아니라고 하는 사람들 치고 몇 번 긁히면 어김없이 마찬가지였다. 그러면 환경과 상황을 제외하고 본질적으로 봤을 때 직업에 귀천은 있는가? 결론은 덜 귀함과 귀함이 있을 뿐이다. 누군가는 '그게 그거 아닌가? 귀천이 있다는 말 아닌가?' 라고 말할 수 있다. 하지만 말장난도 아니고 이는 엄연히 다른 이야기다.

이유는 이제 가치의 서열이 불 분명 해졌기 때문이다. 크게는 돈과 명예로 나뉘는데 두 가지 예시를 들면 첫째로 대기업 생산직과 공무원의 경우 삶의 질 측면에서는 생산직이 월등히 높고 공무원은 저 소득자처럼 생활한다. 그런데 결혼시장으로 올 경우 특별한 무언가가 더 없는 한 생산직은 재적 당한다. 이럴 경우 어디에 중점을 두냐에 따라 귀함이 계속 바뀔 수가 있다. 둘째로는 전문직이지만 수입이 약할 경우 월 몇 천만 원 이상을 버는 개인 방송인들이나 자영업자들이 진심으로 낫다 여기는 사람들도 많다. 말 그대로 "돈도 못 버는 주제." 라는 소리다. 이제 그 외의 가치의 서열을 논하면 시대별 트렌드, 학력, 비전, 워라벨 수준 등 그 외 다양한 부분들이 있고 이것들이 복잡하게 얽히게 돼서 귀천의 서열이 불투명 해 진다. 개인의 판단을 모으더라도 당연히 본인의 입장에 따라 교묘히 조작할게 뻔하기 때문이다. 그래서 보통 서로가 '내가 제보단 낫다' 생각하며 정신승리 하곤 한다. 단 덜 귀함의 기준은 알 수 있다. 저런 서열의 기준이 되는 요소가 적거나 약하거나 없으면 된다.

064

운도 실력이다?

살면서 이런 소리 하는 사람치고 제대로 된 사람을 거의 본적이 없다. 만약 누군가 대단한 사람이 말했다면 진정으로 그 의미를 알고 말했던 것인지 물어보고 싶다. 보통 이런 말 하는 사람들 특징이 남이 잘 되면 '뽀록' '운빨'이라 말한다. 즉 본인들 좋을 때나 써먹는다. 그럼 운은 왜 실력이 아닐까? 이는 바꿔 말하면 본인이 실력으로 타이밍, 우연을 컨트롤 할 수 있다는 거다. 대박 나는 상품과 톱스타를 만들 수 있다고 지껄여 대는 것과 같다. 외식업을 하는 사람들은 모두 돼지 콜레라 또는 조류독감의 리스크를 안고 있다. 허나 그 누구도 사업계획서나 분기별 매출계획에 코로나 사태 같은 전 세계적 전염병에 대한 대안은 적지 않았다. 만약 운이 실력이라면 이런 변수에 대비해 어느 정도 분석하고 예측하지 못한 이 땅의 모든 사장들이 실력 없는 무능력자들이라고 모두가 인정해야한다. 운은 실력이 아니다. 운은 그냥 우연의 연속일 뿐이다. 우리는 우연 속에서 살아간다. 통제 불가한 수많은 우연 속에서 불행과 행복이 계속 발생할 뿐 내 자유 의지와 무방하다. 그러므로 운은 실력이 아니다. 운은 운이다.

065

아무것도 안하는 것 보단 낫지!

“너 그걸 굳이 왜 하고 있냐?”고 물어보면 “아무것도 안 하는 것 보단 낫지!” 라 보통 말한다. 확실히 틀린 말은 아니다. 우선 뭐든 시도 하는 것이 낫긴 하다. 문제는 본인이 원하는 삶 또는 본질의 방향과 아무 상관도 없는 엉뚱한 짓을 하면서 저따위로 말하니까 문제가 된다. 특히 회사를 다니면서 남는 시간에 본인 경력과 상관도 없으면서, 관심도, 좋아하지도, 잘하지도 않는 것을 하며 중구난방으로 자격증을 따는 경우가 있다. 이는 단순히 불안한 심정에 뭐라도 해야겠다는 기분이 커서 현실을 외면하는 심정이다. 다시 말하지만 도전은 비판하지 않는다. 그저 지금 하는 짓이 혹사로부터 위안을 갖는 것은 아닌지 생각해봐야 한다. 진정으로 임해야 할 문제 해결 및 개선과 마주치지 못해서 도망가기 위한 수단으로 혹사를 선택한 것이면 나아지는 게 아니라 지금 늪으로 가라앉는 중이라는 뜻이다. 이들은 현재를 열심히 살아가지만 불확실, 불투명한 문제를 마주할 생각은 안하고 그저 자신을 힘들게 하여 불안을 해소하는데 온 힘을 쏟는다. ‘열심히' 라는 대의명분이 있으니 직접적으로 괴롭지도 않아 문제 인식 조차 못하는 것이다. 진짜 문제들 대부분은 더한 고생을 요구 하는 것 이 아니라 반대로 내려놓는 것, 새로운 길을 걸어 보는 것, 리스크를 거는 것, 혹은 무언가 해내기 위해 불안과 절망까지 포용할 각오가 있는 가 따위의 전혀 다른 것들을 요구한다. 행동에 과한 의미부여를 하면 안 된다. 처음에 아무것도 모르니까 이것저것 한다 치더라도 때가 지나면 방향을 가다듬고 그 분야의 디테일을 올려야 한다. 어느 분야든 아마추어에서 전문가로 진입하는 과정은 똑같이 때문이다. 그럼에도 불구하고 몰랐으면 듣고 바꿀 생각이라도 해야 하는데 같은 방법만 고집 부리면서 행한다면 이는 명백히 바보짓이라고 부를 수 있다. 이제는 더 이상 별로 한 것도 없으면서 밤늦게까지 남아 있다가 집에 들어가면서 뿌듯해 하는 고등학생 같은 짓을 할 때가 아니란 말이다.(게임은 자기 레벨에 맞는 던전 잘 찾아 가면서 인생은 왜 낭비에 관대한가) 이들의 특징은 대게 '대학만 가면' '취업만 하면' '은퇴만 하면' '부자만 되면' 등의 소리를 입에 달고 산다.

066

노는 거 같아보여도 일처리 차원이 다르다?

사회생활 하다 보면 다 들어봤을 말이다. 간단히 말해서 부하직원은 정신없이 일하고 있는데 상사는 빈둥거리면서 놀고 있다. 부하는 업무가 불평등하고 부조리함을 느낀다. 허나 일하다가 난제가 터지면 부하는 패닉상황에 빠지지만 이때 상사가 나타나 금방 해결한다. 그런가 하면 부하가 열심히 한 시간동안 하고 있는 일을 보고 상사가 답답해서 10분 안에 처리하는 모습을 보여 준 뒤 다시 쉬러간다. 얼핏 보면 능력자로 보이기도 하고, 이렇게 관리자는 해야 할 일이 따로 있어 보인다. 평소의 태평함과 일 안하고 노는 것이 정당해 보이기까지 한다.

이를 보고 어떤 생각이 드는가. 타당해 보이는가? 그러나 엄밀히 따지고 보면 경력에 숨어서 업무태만을 하는 것이 짬밥의 노하우는 아니라고 본다. 오래 해야만 알 수 있는 노하우를 인질로 두고 대부분의 평범한 하루에서 일어나는 일을 가져가라고 강요하는 것이나 다름없다. 말 그대로 직권남용의 명분이자 짬때리기 밖에 안 된다. 그나마 논리가 성립하려면 상사가 본인의 모든 노하우를 전수해서 부하가 순식간에 상사와 동급이 되게 만들면 된다. 아니면 그렇게 되도록 계속 코치처럼 감독해야 한다. 허나 절대로 그러지 않는다. 당연히 모든 게 상사와 동급이면 같이 있을 수 없다. 결국 옳고 그름과 관계없어 겸허하게 따르는 수 말곤 없다. 그래서 같잖은 직장에서도 별 시답지 않은 걸 가지고 짬이니 노하우니 하며 견제 하는 일이 일어나곤 한다.

067

같잖은 가르침

나이를 잘못 먹은 노인 작가 몇몇들은 도(道), 의(義) 같은 한문을 써놓고 구구절절 뜬구름 잡는 이상론을 떠들어 대며 으스대곤 한다. 다양성을 존중해야 한다고 말하면서 자기 기준의 상식과 안 맞으면 소통할 가치가 없는 사람이라 여기며 묵살하는가 하면, 젊은 부부가 아이를 갖지 않으면 불효막심하거나 이기적이라고 단정 짓는다. 가만 보면 아무 생각 없이 지껄이는 데로 살고 있을 뿐인데, 지혜나 덕(德)을 논하는 것을 보면 본인 스스로가 뭔 말을 하고 있는지도 모르는 것 같다.

068

이상론 자 들을 보고 있으면

어디서 그렇게 영성 뽕이나 초월 뽕을 많이 맞고 왔는지 모르겠다. 인생이 평온해서 그런지 다들 이상에 취해 현실이라는 땅에서 발을 떼고 날아가려고 한다. 성공했는데 그로 인해 불행해지는 사람이 많다면 진정한 성공이 아니라는 둥, 돈이 없어도 곁에 사람이 많다면 진정한 부자라는 둥 뜬구름 잡는 소리를 좋아한다. 그들이 사는 세상은 자연과 야생이 아니라 명심보감 같은 매트릭스와 같다. 성공은 다른 말로 한정된 수요에서 다른 이의 파이를 뺏어오는 것과 같다. 동네 자영업은 물론 스마트폰까지 달력과 시계 사진업 종사자들의 이익을 거의 독점하고 있다. 아무도 불행하지 않게 성공하는 방법은 없다. 종교조차도, 천년을 넘긴 국가도 불가능했다. 또한 아무런 성의도 표현하지 못하고 말로만 배푸는 이에게 남아주는 사람은 극소수에 불과하다. 관계유지엔 필연적으로 상당한 노력과 시간 돈이 따른다. 나아가 경우에 따라선 결혼 후에 부부관계를 위해 사이가 좋아도 정리해야 할 이성친구도 존재한다. 저들은 대체 얼마나 세상이 호락

호락하게 보이 길래 이리도 뜬구름 잡는 망상을 펼치는지 나로서는 알 수 없을 뿐이다.

069

미래를 보라는 사람들

꼭 앞으로 올 시대를 미리 보지 못하면 안 된다고 하는 이들이 있다. 틀린 말은 아닌데 중요한건 그럼 어떻게 보는 게 옳은 것인가? 말만 그럴싸하지 솔직히 안 읽는 사람도 많지만 제대로 읽는 사람은 별로 없다. 수많은 학자들도 다 틀리는 것이 미래를 읽는 것 이였다. 몇 년 전 인공지능 시대가 대두된다 했을 때 수많은 전문가, 언론, 방송인, 콘텐츠 크리에이터들의 내용은 한 결같이 똑같았다. "인공지능이 할 수 없는 일을 해라! 예술이나 마음관련 일이라 던지!" "인공지능 프로그램을 관리 개발하는 사람이 되라!" "단순 반복 업무를 하는 직업이 가장 위험하다!." 라고 떠들었다. 물론 이제 와서 보면 다 틀렸다. 그나마 사피엔스의 저자 유발 하라리 작가정도의 소수인원만 비슷하게라도 맞췄다.

그렇다면 미래를 보라는 사람들은 어떻게 미래를 볼까? 이 말을 하는 사람들의 주장을 읽어보면 시대변화나 세상의 흐름과 순환을 읽는 지혜를 주장한나. 요건대 원론적이고 뜬구름 잡는 소리며 과거의 예시만 찾는다. 즉 본인들은 잘못된 의견조차 내지 못 하고 헛소리만 해대면서 그리 거들먹거리면 되나 싶은 의문이 든다. 미래는 아무도 유추할 수 없다. 그저 흘러갈 뿐이다.

070

부자와 독서

요즘 책 팔이 들은 책 읽고 최저시급 인생에서 부자가 됐다 하거나, 천권이상 읽고 갓생을 살거나 , 글쓰기의 사기성을 강조하는 것이 트렌드다. 따지려 들면 너무 많아지니 하나만 꼽자면 이들이 읽는 것도 가르치는 것도 '책'이 아닌 책이다. 포괄적인 기준에서는 책이 맞으나 흔히 우리가 말하는 '책'의 기준으로 봤을 때 아니란 소리다. 책은 크게 문학과 비문학으로 나뉘고 문학은 인간의 사상과 감정을 언어와 글자로 사용한 도서이고, 비문학은 논술, 설명서 등이 대표적이다. 그리고 저들이 읽고 있는 것 및 가르치는 것은 '카피라이팅' 즉 마케팅 기법이지 일반적으로 말하는 책, 독서, 사상과는 관련이 없다. 저들이 가르치는 것은 오히려 핸드폰 매장이나 중고차 매장 직원도 대신 할 수 있다. 차이점은 좀 더 기품 있고 그럴싸해 보인다는 점밖에 없다. 오히려 돈은 아무것도 없는 외국인이 책을 읽는 것보다 해외노동으로 돈을 모아 자국에서 무언가 일을 키우거나, SNS를 통해 욕망 혹은 이목집중을 잘 끌어낼 때 더 잘 모인다. 이러다 보니 역대

베스트셀러들 역시 가만 보면 보통 '끌어당김의 법칙' 같은 정신병자들의 망상이 우위에 섰고, 그 시대 깊은 통찰력을 갖은 '의지와 표상으로서의 세계', '군주론' 같은 도서들은 항상 인식이 밑바닥에 있었었다. 이게 진짜 독서의 현실이다.
이에 관해 고(故) 이어령 작가님 역시 본인의 저서에서 '독서 무용론'에 대해 언급했다. 왜 책이 많은 이삿짐일수록 가난한 사람인지, 독서 주간 세미나로 강연 회장에 갔지만 실례가 됨에도 어째서 책을 사랑하고 탐구하는 사람들이 가난한지, 본인은 도저히 책을 읽으라고 권장할 자신이 없다. 말씀하셨다. 그렇다. 진실로 책은 돈이나 부자랑 관계가 없다. 생각의 지평선은 위기를 맞이했을 때 최악을 면하기 위함이지 성공이랑은 거리가 멀기 때문이다. 이처럼 책과 돈의 직접적인 관계를 옹호하는 자들은 부자 팔이나 성공 팔이 혹은 그런 개돼지 마케팅에 놀아나는 자들 뿐 이다. 예외는 없다.

세상앓이 그리고 인생론

인생의 본질을 꿰뚫는 인문 에세이

발행일 | 2024년 6월 7일

지은이 | 송희준
펴낸이 | 마형민
기 획 | 신건희
편 집 | 강채영
디자인 | 김안석
펴낸곳 | (주)페스트북
주 소 | 경기도 안양시 안양판교로 20
홈페이지 | festbook.co.kr

ISBN 979-11-6929-502-4 03800
값 12,000원

* (주)페스트북은 '작가중심주의'를 고수합니다. 누구나 인생의 새로운 챕터를 쓰도록 돕습니다. Creative@festbook.co.kr로 자신만의 목소리를 보내주세요.